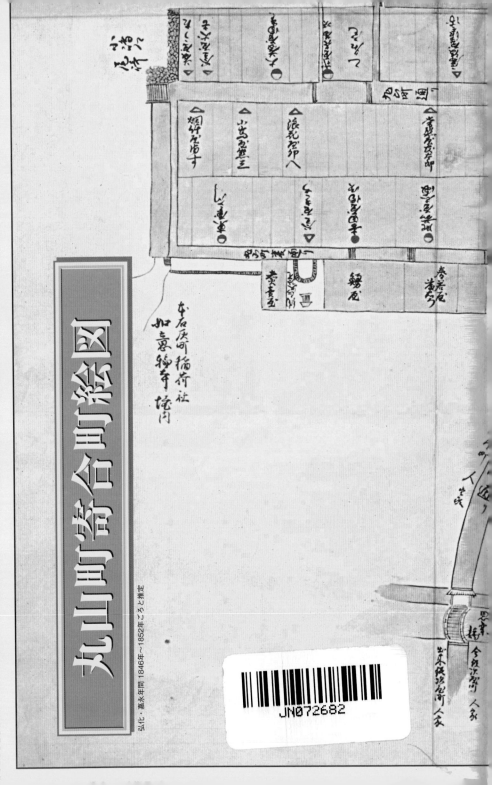

丸山町寄合町絵図

弘化・嘉永年間 1846年〜1852年ごろと推定

JN072682

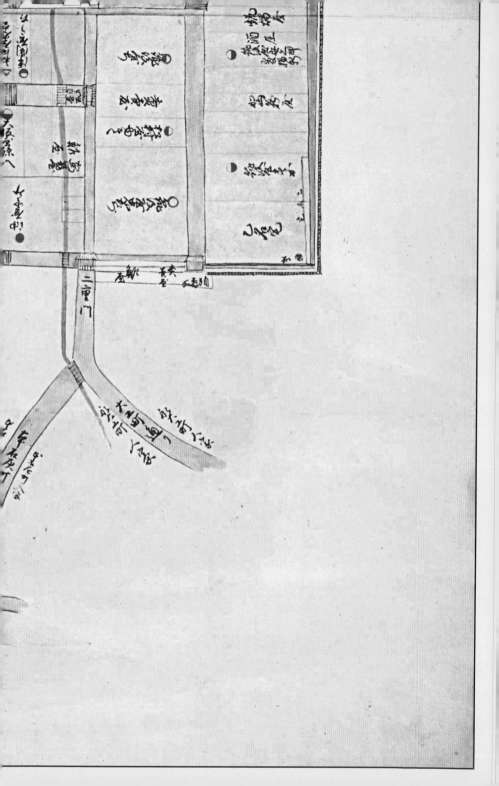

長崎丸山に花街風流
うたかたの夢を追う

本書は、江戸時代、花街として賑わいをみせ
数々のドラマが生まれた丸山を散策できるガイドブックです。
長崎丸山は恋のまち、大人のまち。
ぶらりぶらりと粋に、そぞろ歩きはいかがでしょう。

1

構成・文 山口広助

日本三大花街のひとつ、長崎丸山とは?

国際色豊かな花街丸山のはじまり

　丸山は寛永19（1642）年、幕府の命により長崎奉行所が長崎市内に散在していた遊女屋を1ヵ所に集め、公認の遊郭をつくったことにはじまります。丸山の遊女がお相手したのは、日本人のほかに唐人（中国人）やオランダ人もおり、国際的な花街でした。

　丸山の役割は、長崎の役人や博多や上方などの商人、さらには文人墨客などの社交の場であり、サロンとして歴史を重ねてきました。

　しかし、昭和32（1957）年4月1日、売春防止法が施行され、翌33（1958）年3月31日、その灯は消えてしまいます。

　平成10年頃から、『長崎ぶらぶら節』などで丸山はテレビや雑誌に大きく取り上げられるようになり、散策の地として賑わいを見せるようになりました。

長崎に丸山という処なくば

丸山とよんだのは、なぜ?

時代によって、町のよび名はさまざま

　長崎丸山は、江戸の吉原、京の島原にならぶ日本三大花街のひとつでした。丸山とは、丸山町と寄合町をあわせた花街の総称です。

　江戸時代、すでに「丸山」という言葉が花街を意味していました。つまり花街と書かなくても「丸山」と書けば花街を意味していたのです。また、丸山町と寄合町の両町を江戸初期は上膨町、江戸から明治にかけては女郎町とか傾城町、遊女町とよんでいました。俗に、内町や二丁目とよんでいた時期もあり、表記も「円山」とか

「磨山」などと記されることもありました。

　古文書などには「囲」という文字があてられることもありますが、これは周囲が塀で囲まれていたことに由来します。さらに丸山町の一部を片平町とよんだり、いまでは使いませんが、寄合町を西田町とよんでいたときもあります。

　また、長崎くんちでの丸山町の傘鉾飾りには「丸山町」のほかに変体仮名で「萬留彌漫満地」と記され、縁起のいい文字を散りばめています。町のよび方だけみても、丸山の歴史の深さがわかります。

●「出島阿蘭陀屋舗景」（長崎文献社）

●「唐人屋舗景」（『時中小學校史 文化事誌』

●「肥前長崎丸山廓中風景図」歌川貞秀 / 江戸後期（長崎歴史文化博物館蔵）

●現在の丸山Ⓨ

上方の金銀無事帰宅すべし

●『日本永代蔵』井原西鶴より

●「蘭人会食之図」（長崎文献社）

●「主部屋遊楽之図」（『長崎名勝図絵』に着色）

丸山遊女のよび名

長崎にしかない外国人相手の遊女のよび名

遊女のよび方もいろいろ変化しています。江戸時代はじめから中ごろまで、遊女は傾城（長崎弁でケーシェー）とよばれ、それ以降、よび名は遊女へと変化していきます。また、女郎衆という言葉もありました。太夫は一人でも複数でも太夫衆といいます。遊女は太夫、みせ、並にわかれていて、なかでも太夫は特別で小舞や乱舞、茶道を極め、祝儀不祝儀にもよばれていました。

丸山遊女は遊郭を出ることもありました。丸山遊女は日本行き、唐人行き、阿蘭陀行きと三つに分類

されます。唐人行き、つまり唐人屋敷に出向く遊女はこのほか、唐人屋敷行き、唐館行きなどといわれていました。一方、阿蘭陀行きは出島オランダ商館に出向く遊女で阿蘭陀屋敷行き、蘭館行き、出島行き、阿蘭陀女郎衆といわれます。

安政の開国以降、各所に外国人が住むようになると大浦行き（大浦居留地）や稲佐行き（ロシア休息所）、外館行き（外国商館）、製鉄所行き（製鉄所滞在の外国人）の言葉が生まれます。

新しく外国から入るものは彼女らも手にし、流行の先端でもありました。

丸山周辺広域 MAP

築地中華街電停

新地町

園光寺

浜の町

●永見徳太郎宅跡

銅座跡の碑 ■
●銅座稲荷神社(ビル屋上)

春雨通り

思案橋電停

●思案橋

銅座町

楠本イネ
診療所開業の地
■銅座大師堂

●思案橋跡

洋館跡

本石灰町

銅座跡　■銅座釜屋

金剛院

船大工町

●見返り柳
思切橋跡

大崎神社

●山ノ口足袋屋

片平町通り

長崎華座

●福砂屋本店

籠町

山ノ口
二重門跡

角の油屋跡
(角海老ビル)

角の煙草屋

山崎

忍び坂

長崎杉

■丸山公園

丸山本通り

■楠稲荷神社

丸山町

史跡料亭
花月

■梅香崎神社
■大徳寺跡
(大徳寺公園)

西小島(一)

江戸時代の
花街エリア

梅園身代り
天満宮

中の茶屋

●福屋

唐人屋敷跡

■仁田佐古小

寄合町

寄合町通り

中小島公園

館内町

中小島

■土神堂

■小島養生所跡

■三島屋跡
■玉泉神社

十人町

福建会館

長崎(小島)
養生所跡資料館

山頭温泉跡

●あかずの門跡

■観音堂

西小島(二)

■天后堂

仁田中央公園■

●佐古招魂社

●長崎丸山 華街の碑Ⓨ

L字型をした丸山の地形

出島、唐人屋敷よりも広大な町域の傾斜地

　丸山の地形は、東が小島から尾崎(大崎神社付近)にかけてつづく丘と、西が稲荷嶽(現・佐古招魂社)から大徳寺にかけてつづく丘に囲まれた窪地で、真ん中には一つの流れがあり、銅座川に注いでいます。丸山町と寄合町の両町はL字型の町域で、丸山町は西から東に、寄合町は北から南に、それぞれ傾斜を持って形成さ

●「享和2年古地図・部分」（長崎文献社）

丸山町貸座敷分布略図
寄合町
明治末期

江戸時代の花街エリア
明治以降の花街エリア
銅座跡
唐人屋敷跡

●〈18長都計第748号〉

「丸山町寄合町貸座敷分布略図」
明治末期　（『廓の娘〈続・長崎丸山花月
記〉』山口雅生書／長崎花月史研究所刊よ
り）

れています。江戸時代はこの傾斜に2、3ヵ所の階段があり、寄合町には10数段の階段がありました。明治時代になると人力車が利用されるようになり、石段はなくなります。

　丸山はいったいどれくらいの面積だったのでしょうか。

　天明6（1786）年の資料では丸山町は4538坪（約15000㎡）、寄合町は5104坪（約17000㎡）とあり、あわせて約1万坪の規模を誇っていました。これは、出島（約4000坪）や唐人屋敷（約8000坪）などをしのぐ広大な範囲だったことがわかります。

丸山基礎知識
遊女屋と遊女

知れば歩く楽しさ、面白さは倍増。遊女屋のなりたち、遊女たちのこと、丸山ゆかりの人々など詳しく説明。

●「長崎港図・部分」円山応挙筆（長崎歴史文化博物館蔵）

●平戸歓楽街丸山跡の碑Ⓨ

●平戸歓楽街丸山跡の碑解説板Ⓨ

●横瀬浦丸山長袖さまの墓Ⓨ

●横瀬浦思案橋跡Ⓨ

発祥の平戸丸山から長崎丸山へ

「丸山」という地名はポルトガル船とともに移動

16世紀中期、ポルトガル船は平戸を拠点に貿易をおこないました。平戸港での取引が終わると出航まで平戸港の南にある川内港に入ります。船員たちが休息する港には、自然発生的に遊女屋がたち、丸い小高い山のそばに広がっていきました。船員たちがその丸い山を目印に集ったことから、「丸山」という言葉がはじめて使われたと考えられています。

その後、ポルトガル船は横瀬浦に港をかえ、貿易を再開。やはり港から少し離れた山陰に遊女屋がたちます。船員たちはそれまで使っていた「丸山」という言葉を使ったのでしょう。

元亀2（1571）年、ポルトガル船は長崎に入港。長崎に多くの人が集まるようになると町外れに遊女屋がたちはじめます。

寛永19（1642）年、幕府は遊女屋を長崎の市街地から一番離れていた太夫町に集めます。遊女屋という意味で使われていた「丸山」をそのまま地名に置きかえ、ここに幕府公認の「丸山」が誕生します。

ちなみに、平戸市川内町や西海市横瀬郷には、いまでも「丸山」という地名が残っています。

丸山以前の長崎の遊女屋

遊女は博多からやってきたとの説

多くの博多商人が長崎を訪れ「一の堀」の外に町を開き、博多町をつくります。文禄年間（1592-96）、さらに博多商人が来崎し、当時の市街地のはずれに別の博多町を開き、前者を本博多町、後者を今博多町としました。

今博多町には宿屋がたつようになり、宿屋には博多柳町の夷屋などから連れて来た遊女がおかれ、南蛮人（ポルトガル人）を相手にした遊宴の場、つまり遊女屋がはじまります。

客の多くは南蛮船や中国船の船乗りと考えられます。

●「南蛮人来朝之図屏風／左隻・部分」
（長崎歴史文化博物館蔵）

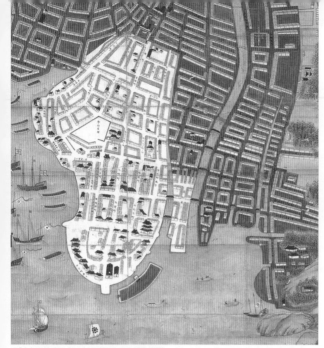

●「寛永長崎港図・部分」(長崎歴史文化博物館蔵)

●入津数と遊女の数

長崎の遊女屋の盛衰は中国やオランダ貿易の影響を顕著に受けました。江戸初期、唐船やオランダ船の入津数(入港数)が最大になった時代は遊女屋や遊女の数も最大となっていきます。しかし、江戸中期から貿易の低迷で遊女屋は激減してきます。また幕末にかけては遊女屋の増減が激しく、一方で揚屋が出現し芸者が激増します。とくに丸山町は芸者屋町のようになったといいます。このころから引田屋や筑後屋が頭角をあらわしだします。明治維新を受け新政府は明治5(1872)年、遊女屋廃止を打ち出し遊女屋は貸座敷と形態を変え遊女屋時代が終わります。

街道入口あたりに点在していた遊女屋

今博多町に遊女屋が開かれた時代と同じころ、長崎の玄関口にも遊女屋がたちはじめます。長崎街道近くの本紙屋町、新紙屋町(八幡町)、新高麗町(伊勢町)、大井手町などの地域、茂木街道周辺では高麗町(榎津町)、今石灰町(八坂町)、小島村太夫町など、街道から少し離れた場所にありました。その数は長崎の人口増加に比例しています。

慶長11−12(1606-7)年、紙屋町や高麗町などの遊女屋は一旦、今博多町の近くに移転させられ寄合町となり、さらに今博多町と寄合町の遊女屋は寛永19(1642)年、小島村太夫町付近に移されます。

茶屋と揚屋と遊女屋はどう違う?

江戸時代、丸山には遊女屋のほかに茶屋と揚屋がありました。一般に遊女屋とは遊女を置いた宿屋をいい、茶屋と揚屋は現在でいう料亭で、客人に料理を提供する場所でした。長崎では、遊女屋に付属したものを茶屋といい、付属せず自立したものを揚屋とよんでいました(上方や江戸は別の意味)。

丸山には遊女屋「中の筑後屋」に付属した「中の茶屋」と、遊女屋「引田屋」の「花月楼」、この2軒だけが茶屋として存在していたことになります。また、太夫、みせ、並にわかれていた遊女のうち、揚屋(茶屋)では一般的に太夫のみを扱っていました。

江戸中後期になると揚屋(茶屋)に芸妓や幇間などを呼び入れるようになり座興が生まれ、遊女屋は次第に衰退してきます。

入津数と遊女数の変化

年号	入津数	遊女屋	遊女	揚屋
延宝7(1679)	37隻	103軒	766人	
天和元(1681)	13隻	74軒	766人	
元禄5(1692)	77隻		1443人	
宝暦中(1751-)		29軒	315人	
宝暦6(1756)	9隻	33軒		
天明6(1786)	14隻	22軒		15軒
寛政中(1789-)		18軒	416人	
天保13(1842)	8隻	20軒		15軒+α
弘化4(1847)	10隻	15軒		
嘉永3(1850)	7隻	21軒	480人	
慶応元(1865)		29軒		11軒+α
明治5(1872)		27軒		

『丸山遊女と唐紅毛人』
古賀十二郎著／長崎文献社より

●「丸山町傘鉾と奉納踊り」(『秘蔵!長崎くんち絵巻〜崎陽諏訪明神祭祀図』長崎文献社より)左上の傘鉾が丸山町、右下が寄合町の傘鉾。

丸山遊女

丸山遊女の習いごとは読み書き歌

江戸初期、遊女は、白拍子つまり舞妓や芸妓であり、読み書きや歌舞音曲、能楽、琴、三味線、胡弓、小唄、浄瑠璃など芸事のあらゆることに堪能でなければつとまりませんでした。丸山遊女は各所に出かけ興行を行うこともありました。

江戸中期になると能楽などより三味線や小唄などに力をいれるようになり、諏訪神社の大祭では小舞(狂言の中の一つ)を奉納します。興行が行われなくなると外出も禁止になります。江戸中後期、大坂などから芸妓が長崎に入るようになると遊女は色を売り、芸妓は芸を売るといった形態となり、遊女たちの歌舞音曲は自然と衰退していきます。

丸山遊女の絵踏は長崎名物

丸山遊女の絵踏は長崎名物の一つでした。1月8日は市内の絵踏の最終日にあたる日で、丸山は大勢の見物客で賑わいました。丸山遊女の衣装の華やかさは有名ですが、寺社詣でや絵踏の衣装は格別の意味がありました。

とくに絵踏の日は華美を極め「絵踏衣装」と称されるほどでした。衣装は長崎の富豪や上方、江戸の豪商からの贈りもの。また中国人やオランダ人などが馴染みの遊女に対して自らを誇って競うように贈ったものでした。美しく着飾った遊女たちは、各店々に行儀よく並び、町役人がひとりずつ源氏名を読み上げ、呼ばれた遊女は右足で絵踏版を踏みます。足袋を履いていない白い足は大変艶やかだったといいます。

絵踏の行事は明治維新までつづきました。

●「長崎芸伎図」
荒木君瞻筆(長崎歴史文化博物館蔵)

行き先の違う遊女

日本人のみと関係する遊女のことを「日本行き」といいました。容姿やしつけなどが大変優れている者や、唐人行きだった遊女が水揚げがよく、「日本行き」に昇進した場合もありました。

「唐人行き」は中国人相手の遊女を指します。はじめから中国人相手の遊女もいれば、「日本行き」から「唐人行き」に降格の者、「阿蘭陀行き」から「唐人行き」になる者とさまざまでした。江戸中期の唐船の激増は丸山に景気をもたらしました。

「阿蘭陀行き」の遊女とオランダ人との関係は、正保2(1645)年ごろからはじまったと考えられています。出島のオランダ商館への女性の出入りは禁止されていましたが、丸山の遊女、禿、遣手などは特別でした。出入りの際は、厳しい取締りがおこなわれました。江戸中期までは毎日夕方から翌朝までの出島滞在でしたが、中期以降は昼夜の制限はなくなっていきます。

長崎丸山だけの特徴は国際性ゆたかだったことでしょう。

●「丸山遊女の揚代」
丸山遊女は太夫、みせ、並と三つの階級にわかれていました。江戸中期、唐人行きの揚代は太夫が銀15匁、みせが10匁、並が5匁でした。阿蘭陀行きは並しかありませんでしたが、銀30匁と高く、また日本行きの並は銀2、3匁ほどでした。

京の女郎に、江戸の張りを持たせ、長崎の衣装を着せて、大坂の揚屋で遊びなば十分なり

●「唐館部屋の図・部分」（長崎文献社）

●「唐館交加遊女ノ図」（長崎文献社）

●「蘭館娼妓出代ノ図」（長崎歴史文化博物館蔵）

遊女の衣装は「天下一」流行の最先端

　鎖国時代、長崎は海外貿易港として多くの舶来の織物などが港に入りました。長崎人の衣装は贅沢を極め、とくに長崎の婦人の衣装ほど華美なものはないと称されるほどでした。丸山遊女はさらにその最高級品を着る女性で天下一といわれ、長崎衣装といわれていました。また、遊女への贈りものを競いあうこともしばしばあり、華やかさはいっそう増していきました。幕末期などは長崎奉行の命などで華美が禁止されることがありましたが、遊女には表向き制限されることはありませんでした。

　開国後、居留地がつくられ遊女の外出が大浦や稲佐などに及ぶようになると軽快な服装が使われるようになり、一般の女性と変わらなくなって行きます。

明治期以降の丸山の変化、花街の存続はきびしくなり

　明治5（1872）年は新たな公娼制度のはじまりで、明治9（1876）年、遊廓は貸座敷に、遊女を娼妓と改称し、貸座敷は免許制となります。一方で料亭の台頭で芸妓を中心とした花街文化が花開き始めます。しかし時代が進むと廃娼運動が起こり、昭和9（1934）年、貸座敷は特殊料理屋、娼妓を酌婦と変更、昭和21（1946）年、GHQによって公娼制度が廃止となり、特殊料理屋は特殊飲食店へ改称、昭和33（1958）年3月31日、遊廓に類するものはすべて廃止となりました。

　その後、花街文化は料亭文化が中心となって余興を楽しむ現在のスタイルが定着していきます。

●「洋装の遊女」（『アルバム長崎百年』
長崎文献社より）

●思案橋の入口アーチ⓪

●思案橋通り⓪

長崎丸山ゆかりの人たち

坂本龍馬に勝海舟ら幕末の志士たちも

　　本石灰町通りの商店街には、昭和40（1965）年ごろから通りの両側にアーチ（横断看板）を設置し、賑わいを演出しています。現在のものは平成11（1999）年設置のもので、思案橋を渡り丸山に足を運んだであろう文人墨客や外国人などをイメージしたデザインになっています。また、道沿いに立つ17本の街路灯にも当時の文化人の姿が施されていて、解説板では彼らの足跡を知ることができます。

街路灯にデザインされた、おもな人物

上野彦馬
うえの ひこま

若くしてオランダ語や化学を学び、フランス人ロッシュから写真術の指導を受けます。また、フランスから写真機を購入、中島鋳銭所跡地に上野撮影局を開き写真文化の発展の基礎を築きました。幕末の志士たちの写真を撮ったことでも知られています。

岩崎弥太郎
いわさき やたろう

土佐藩出身で、幕末に長崎土佐商会で外国との取引を担当します。その後、藩船で回漕業を始め、後年、明治政府から長崎造船所を借り受け三菱重工業（株）の前身である三菱会社の経営を始めます。現在の三菱の創始者です。

リンガー

幕末、上海から長崎のグラバー商会へ招かれ製茶事業の顧問となり、のちにホーム・リンガー商会を設立します。英字新聞のナガサキ・プレスの発行やトロール漁業の開発に尽力します。イギリス、ノーウィッチ出身。

坂本 龍馬
さかもとりょうま

土佐藩出身ですが脱藩し、その後、勝海舟が進める海軍塾の塾頭となります。長崎では日本初の商社・亀山社中を設立して薩摩藩と長州藩の仲介のため尽力します。薩長連合の立役者でもあります。暗殺され、明治の時代を見ていません。

福沢諭吉
ふくざわ ゆきち

20歳で長崎に留学し蘭学などを学び、23歳のとき江戸で蘭学者として迎えられます。現在の慶応義塾大学の前身となる福澤塾を開き、さらに幕末の日本を独立した国家として築き上げるため尽力、明治そして明治の礎を創ります。大分中津藩出身。

オルト

イギリス、グリニッジ出身の貿易商で、幕末、大浦町に商社・オルト商会を立ち上げ、敷地内に製茶工場を併設します。これがわが国初の製茶工場で、オルト商会はこのほか衣類や武器、弾薬まで幅広い商品を取り扱います。

高島秋帆
たかしましゅうはん

出島で西洋砲術などを学び、そこから西洋式の砲術による国防の重要さを説き、幕府に実演してみせました。実践場所の徳丸ヶ原がのちに高島平となったことは有名です。秋帆の活躍は開国に一石を投じることになりました。

大隈重信
おおくましげのぶ

佐賀藩士で若くして来崎し英学を学び、明治政府の外国事務局判事として外国との交渉役などを務めます。伊藤内閣では外務大臣に抜擢されその後内閣総理大臣に。早稲田大学の全身である東京専門学校を創立し教育にも力を注ぎます。

江芸閣
こううんかく

中国杭州出身でたびたび長崎に渡来。書や詩文に長けていたところから頼山陽ほか日本の学者、芸術家、文化人との交流が広く、大きな影響を与えます。また、引田屋にも数多く足を運び遊女袖扇との間に一子をもうけます。

井原西鶴

「長崎に丸山という処なくば…」の有名な一文

　井原西鶴(1642-1693)は本名を平山藤五といい、大坂の町人の子で若いころから俳諧を学び得意としていました。花街を描いた小説『浮世草子』はベストセラーとなり、西鶴の名を世に知らしめることになります。元禄元(1688)年発表の『日本永代蔵』は町人の経済を描いた作品で、長崎丸山のことにふれた有名な一節が記されています。

　「長崎に丸山といふ処なくば、上方の金銀無事帰宅すべし。ここ通ひの商ひ、海上の気つかひの外、いつ時しらぬ恋風おそろし」

●「哨吶吹(チャルメラ吹き)」(『長崎名勝図絵』より)

うたわれた丸山

オランダ語のラブレター

　丸山には古い川柳が残されています。日本人だけではく、オランダ人や唐人(中国人)の相手をした丸山遊女。川柳からは、オランダ語でつづられたラブレター、コップでお酒を飲む唐人やチャルメラ(右上図)を吹き大騒ぎする丸山の夜など、男女のことだけでなく、当時の風俗文化も知ることができます。

丸山にのこる古川柳

- 丸山の恋は一万三千里 ※1
- 丸山へ女のよめぬ文が来る ※2
- 丸山の太夫歩みも横文字
- 丸山は唐と日本の廻し床
- 丸山の蚤 和漢の人を知り
- 丸山の女郎 和漢の味を知り
- 丸山の騒ぎチャルメロなどを吹き
- 唐人はコップコップと酒をのみ
- 丸山に珊瑚珠生む 女あり
- 丸山に来てばあばにしてかえし
- 丸山の傾城 船を傾ける

※1　13,000里とは長崎とオランダの距離を意味し丸山遊女とオランダ人との恋愛を表しています。
※2　よめぬ文や横文字はオランダ語を表しています。引田屋には横文字の看板があったといわれています。

空前の長崎ブーム

　昭和43(1968)年、キャバレー十二番館の専属バンドだった高橋勝とコロラティーノが「思案橋ブルース」を発表。またたくまにミリオンセラーとなります。追って青江三奈が歌う「長崎ブルース」が大ヒット。歌詞に登場する思案橋の名は全国にひろがっていきます。時代は、空前の長崎の歌ブーム。

　内山田洋とクール・ファイブ「長崎は今日も雨だった」で長崎の歌ブームは頂点に達します。また、瀬川瑛子「長崎の夜はむらさき」いしだあゆみ「おもいでの長崎」など数々のヒット曲も生まれました。

●「思案橋ブルース」中井昭／高橋勝とコロラティーノ

●「長崎は今日も雨だった」内山田洋とクール・ファイブ

●「おもいでの長崎」いしだあゆみ

丸山散策
～すねふり～

「すねふり」とは長崎方言で遊郭をひやかし歩きすること。むかしの丸山を散策する人の言葉でした。「行こうか戻ろうか思案橋」花街に行くべきか、いや、今日は帰ろうか。大いに思案した人数知れず。
まずは思案橋から山ノ口まで、そぞろ歩きから。

●現在の思案橋（Ｙ）

●小島川、玉帯川、銅座川
思案橋付近は小島川（玉帯川）の河口にあたり、川の入口ということで川口とよばれていました。江戸中期になると、市街地の拡大で次第に埋め立てられ、深い入り江となります。明治初期に入り江は銅座川に変化。第二次大戦後、バラックが立ち並ぶ西浜町-思案橋間の道路と路面電車を開通させるため、銅座川の銅座（大正橋）-思案橋間を暗渠化し、バラック住人らを移転させます（いわゆる銅座市場）。この時から川は姿を消します。今でも満潮時には思案橋付近まで潮があがってきます。

●「享和2年長崎古地図・部分」

●「思案橋」（『長崎名勝図絵』に着色）

思案橋

いまは暗渠、足もとには銅座川がながれている

江戸・吉原の入口の橋は、遊郭に向かう男の心情を表してか思案橋とよばれていました。また新吉原遊郭の周りの溝を「お歯黒どぶ」、川を黒川とよんでいました。長崎丸山の入口の川口橋もいつしか思案橋または黒川橋とよばれるようになります。

一方、本石灰町に屋敷を構えていた探検家・嶋谷見立がシャム（現・タイ）で購入した唐船の解体材で、橋を架けたのでシャム橋となり、のちに訛って思案橋となったともいわれています。

●思案橋跡の碑
暗渠化された後、ヒット曲などで有名になった思案橋目当てに多くの観光客が訪れるようになりました。これに応えようと昭和48（1973）年、ライオンズ長崎中央クラブと長崎市が、大正3（1914）年に架けられた鉄筋コンクリート橋の欄干と親柱をデザインして思案橋跡の碑を建立。碑は全部で2基で交差点の角々に建ち、それぞれ「思案橋跡の碑」とかかれています。

思切橋跡

行きも返りも、思い切りが必要

　思切橋は山ノ口を流れていた小さな溝に架かる橋でした。思案橋で行こうか戻ろうか思案し、ここで思い切って花街へと繰り出す。あるいは花街からの帰り道、思いを断ち切って家路を急ぐなどといわれるようになり、いつしか思切橋と名づけられたといわれています。江戸時代は木橋（板橋）で、明治初年ごろ、長崎県が木橋を再架橋し長崎区が改修した記録があります。明治20（1887）年、石橋となり、明治41（1908）年、鉄筋コンクリート橋となります。しかし昭和14（1939）年、道路拡張で河川を暗渠化し、川沿いの商店とともに撤去され現在の形となりました。

●見返り柳
（『アルバム長崎百年』長崎文献社より）

長崎丸山に花街風流うたかたの夢を追う

●見返り柳⛩
見返り柳は花街からの帰り道、男たちが未練を断ち切れず、振り返る姿から名づけられたといわれています。見返り柳は、京都島原の花街入口にある柳がはじまりといわれ、その後、江戸の吉原や長崎丸山に伝わり、いつしか花街入口のシンボルとなっていきました。柳の風にたなびく様子が女性のしぐさに例えられ、花街には欠かせない存在となっています。現在、思切橋の欄干の側にたつ見返り柳は、5代目（平成30年頃植樹）の木といわれています。

13

丸山散策〜思案橋／思切橋

山ノ口

丸山の入口、山ノ口と足袋屋さん

　江戸時代、丸山は現在の丸山町と寄合町の総称でした。長崎人はシンプルに「山」と呼んでいたそうです。これが丸山の入口を山ノ口という所以でもあります。山ノ口には丸山の女性たち御用達の足袋屋がありました。いわゆるブランド品の山ノ口足袋です。古写真にその店構えをみることができます。芸妓衆や遊郭の女性（明治期以降）などが利用し、相当の量の足袋が販売されていたものと思われます。この辺りも、昭和14（1939）年の道路拡張で河川が暗渠化、川沿いの商店とともに撤去されました。

●福砂屋⛩
福砂屋は寛永元（1624）年、初代寿助がポルトガル人からカステラの製法を学び長崎で菓子商をはじめたと伝えられています。福砂屋の商標である蝙蝠（こうもり）は、天和2（1682）年の大飢饉に市民救済のため米を寄進した功績に対し、中国人らからおくられたとされます。

●長崎山ノ口『ながさき浪漫』長崎文献社より

●丸山大提灯⛩
江戸時代、二重門があった場所には、現在大提灯が掲げられています。デザインは花街時代の流れを汲み、丸山町を「陽」、寄合町を「陰」とする陰陽の組み合わせです。夫婦和合、子孫繁栄を意味するおめでたいものです。

●いまも電柱に残る片平の名

●料亭・杉本家跡（現・料亭青柳）

片平町

地図にはない町、片平町

　丸山町の北側、丸山町交番から大崎神社までの通り沿いを俗に片平町といいます。正式町名ではなく実際は丸山町に属していますが（現在では本石灰町にも属す）、今でも地区の人々は丸山本通りと区別する意味で使用しています。江戸初期、通りの片側だけ（丸山町側）に遊女屋が建てられ、反対側（本石灰町側）には人家もなく空き地だったことからこうよばれたそうです。

　江戸中期以降、空き地に揚屋や芸者屋が建てられるようになっても、片平の町名は使われ続け、現在に至ります。

丸山本通りと長崎検番

三味線の音色がきこえる粋な通り

　芸妓の手配を統括する場所を検番といいます。現在の長崎検番は丸山本通りに建ち、今も花街の伝統を守っています。ときおり三味の音が聞こえる粋な通りです。また、建物は元・妓楼 松月楼のもので当時の風情を感じさせます。

　通りのつき当たりには料亭・杉本家跡があり、幕末には佐賀藩士だった大隈重信や長州藩士だった井上馨などが訪れたといいます。

●長崎検番Ⓣ

ピナテールと斎藤茂吉

遊女と恋におちたフランス人。
長くは続かなかった幸せに茂吉がよんだ歌。

　フランスの貿易商のヴィクトル・レオポルド・ピナテール（1846-1923）は幕末の長崎に渡来。山ノ口にある「角の油屋」に登楼するようになり、遊女の正木と出会います。ピナテールは正木に惚れこみ身請けまでしますが、幸せは長くは続きませんでした。数年後、正木が病死。ピナテールは遺品である枕箱を抱きかかえ毎日をおくります。最期は出島の洋館でした。

　一方、斎藤茂吉（1882-1953）は精神科医として大正6（1917）年〜大正10（1921）年まで長崎に赴任。丸山にも足を運び「角の油屋」へ登楼します。茂吉はピナテールを訪ね次のような句を詠みました。
「寝所には　括枕の　かたはら　朱のはこ枕　おきつつあはれ」

斎藤茂吉

●「角の油屋跡」
　「角の油屋」は江戸時代から昭和初年まで続いた遊廓です。「角の油屋」は明治12（1879）年の大火で焼失した後、擬洋風建築に変わり営業を続けますが昭和初年に廃業。その後、天草の松浦信太郎に角海老として引き継がれます。この擬洋風建築には廃寺となった大徳寺の天井絵（泥絵師・城義隣筆）が置かれていましたが、昭和45（1970）年に解体され県教育委員会に寄贈されました。

●「長崎丸山町」(『華の長崎』ブライアン・バークガフニ編著より)

●「料亭花月前」昭和30年代(『長崎おもいで散歩』真木満より)

角の煙草屋跡／料亭加寿美跡

地下室には高島秋帆の隠れ部屋

　江戸時代、丸山にあった「角の煙草屋」は、煙草を売る店ではなく高級品とかモダンなイメージを持たせた屋号をいいました。「角の煙草屋」は明治初期までの地図には記されていました。その後、昭和33(1958)年からは料亭加寿美となって昭和46(1971)年ごろまで続きます。料亭加寿美は明治12(1879)年以降に建てられた2階建ての木造建築で、離れの地下室には高島秋帆の隠れ部屋と称する3畳ほどの石造りの部屋が残っていました。

●旗亭釜屋／旗亭釜屋の坂⑦
明治12(1879)年の丸山の大火以降に設けられたもので、坂を登ったところには丸山の周囲を囲んでいた石垣の一部がありました。石垣の下には人家が建っていましたが、江戸末期に旗亭釜屋という料理店となりました。明治12(1879)年の大火では、この石垣で火が止まったといわれています。

車立場跡

愛八御用達の車屋があった

　料亭青柳の石垣の下は以前まで、車立場として利用され人力車が置かれていました。この人力車は長崎検番の芸妓衆などがよく利用し、名妓といわれた愛八も利用していたといいます。車夫の話によると、愛八はいつも人力車の足置きに腰かけるため、愛八の足が車夫の背中に当たり、一番乗せたくない客だったということです。愛八は大切な帯がつぶれないようにという配慮から足置きに腰かけていたのではないでしょうか。

（地図）
本石灰町
■大崎神社
丸山町
車立場跡
角の煙草屋跡●　●料亭青柳
丸山本通り
旗亭釜屋の坂

●左写真「丸山の大辻」昭和30年代
(『長崎おもいで散歩』真木満より)
江戸時代、丸山は花街の統制や火災の防止などのため周囲を石垣や塀で囲んでいました。丸山の東側に当たる料亭青柳の下には当時のままの石垣が今も残っています。第二次大戦後しばらく民家や木炭小屋、倉庫、稲荷寿司や薄雪饅頭などを売る小店が並びました。

丸山メモリーズ
思案橋界隈

明治、大正、昭和、なつかしい丸山を
写真でたどります。

⦿「思案橋から鍛冶屋町方面」大正末期（『ながさき浪漫』長崎文献社より）

⦿「思案橋欄干と玉帯川」大正中期（『ながさき浪漫』長崎文献社より）

⦿「路面電車の思案橋ターミナル」昭和初期（『なが

長崎丸山に花街風流うたかたの夢を追う

17

丸山メモリーズ〜思案橋界隈

花月物語
引田屋

花月は、妓楼引田屋の離れにあった茶屋の名です。いつしか引田屋を代表するようになり、昭和の初め引田屋の廃業とともに料亭として独立しました。

江戸時代、丸山随一とうたわれた引田屋、時の文人墨客によって、多くの唄も生まれました。

●史跡料亭 花月玄関口①

●向井去来 いなづまの碑
向井去来(1651-1704)は後興善町生まれで、8歳のとき父とともに京都へ移住、父の後を継ぎ医業を開業していた長男・元成を支えます。35歳ごろ、俳諧の道に進み松尾芭蕉の門下となり、やがて蕉門十哲(松尾芭蕉の10人の優れた門下)の一人になります。元禄2(1689)年に一旦帰郷。このとき、長崎に蕉風俳諧を伝えたといわれています。昭和28(1953)年は向井去来250年忌にあたり、長崎の俳人約50人によって顕彰会を結成。「いなづまの碑」の建立のほか、文集編纂や晧台寺で記念法要、「芒塚の碑」の改修などがおこなわれました。「いなづまの碑」は遊女の句であり、丸山に建立されています。碑文「稲妻やどの傾城と仮枕(い那つまや登の希い世いとか里満くら)」
※傾城とは、城をかたむけるほど夢中になる人、つまり遊女を意味します。

妓楼・引田屋遺構

建物の一部は幕末に築かれた引田屋遺構

初代・山口太左衛門は寛永年間(1624-1644)讃岐国引田村(現・香川県東かがわ市)から長崎入りし宿屋を開きます。これが引田屋の創業ともいわれています。文政元(1818)年ごろ、引田屋庭園内に亭を作り花月と命名、その後、花月は大変な賑わいを見せますが、明治12(1879)年、寄合町からの火災で花月は焼失し引田屋のみとなります。明治後期、引田屋は花月楼と改称して営業しますが経営不振で昭和4(1929)年に廃業。山口家は16代まで続きました。

第二次大戦の直後、所有者が変わり敷地の一部が転売され当時の形態が変わりはじめます。代表者が本田寅之助になったころから再興しはじめ、昭和33(1958)年に創業300周年祭が盛大におこなわれます。昭和35(1960)年、県指定史跡に指定。その後、有志が花月史跡保存会を立ち上げ株式会社を設立、現在の花月となります。

なお、建物の一部は幕末に築かれた引田屋遺構といわれています。

●引田屋山口家墓所(正覚寺)
正覚寺には代々、17基の墓碑がある。

●明治期の花月 建物模型(史跡料亭花月内集古館)

●「阿蘭人寄合町引田屋花月遊楽之図」(『長崎古今集覧名勝図絵』に着色)

花月楼跡

養花山館ともよばれた茶屋「花月」

　引田屋庭園内にあった茶屋「花月」は俗称で、正式には花月楼といい、頼山陽が名づけた養花山館とよばれていたといいます。場所は現在の庭園上部あたりでした。宝暦元(1751)年、当時の山口太左衛門が敷地を塀で囲み直して建物を建造し宴席を設けます。花月楼は明治12(1879)年、貸座敷の熨斗屋と青餅亭の間で発生した火事で類焼、再興されることはありませんでした。

●端唄はるさめ誕生之地の碑①
端唄「春雨」は、江戸末期に引田屋の2階から春の雨が降り注ぐ庭園を眺めながら作られたといわれています。作詞は長崎港警備のため派遣された小城藩士で国学者でもあった柴田花守(1809-1890)、節は丸山の遊女・おかつによるものです。昭和17(1942)年、端唄「春雨」の誕生をつたえるため庭園内に碑が建立されました。碑の裏面に記された「はうた春雨まるやま生れ　而も花月の花の下」は、作家・平山蘆江(1881-1953)によるものです。

「ぶらぶら節」の碑

遊びに行くなら 花月か 中の茶屋

　「遊びに行くなら 花月か中の茶屋梅園裏町たたいて 丸山ぶうらぶら ぶらりぶらりと 言うたもんだいちゅ」有名なぶらぶら節の一節です。

　庭園には「ぶらぶら節」の碑がたち、裏碑文には「長崎の代表的郷土歌謡であり、幕末嘉永安政のころから丸山花街を中心に流行して追々市井に広まったとつたえられる。人情、風俗、行事などをおりこみ長崎情緒豊かである(略)」と郷土史家・永島正一によって記されています。

●ぶらぶら節の碑①

●春雨通りの由来
昭和26(1951)年から西浜町-思案橋間の路面電車線開通のため、暗渠化工事がはじまります。長崎市はこの通りを花街丸山にちなみ端唄「春雨」から春雨通りと命名。しかし、当時は付近住民には不評で「思案橋通り」へ変更するよう申し出があったほどでした。

●春雨の間

●集古館

史跡料亭 花月の楽しみ方　小川内清孝（取材・文）

　江戸時代の長崎・丸山は、江戸の吉原、京都の島原とならぶ不夜城といわれ、多くの文人墨客が訪れ賑わったという。時代の風雲急を告げる幕末には、明治維新の若き志士たちが出入りしたともいわれている。現在の花月は寛永19（1642）年に誕生した遊郭引田屋の遺構で、その庭園にあった亭の花月楼という名をとり、長崎伝統の卓袱（しっぽく）料理などを提供する料亭として訪れる客をもてなしている。昭和35（1960）年に長崎県の史跡に指定され史跡料亭花月となった。

　花月を利用するときの楽しみ方は、宴席や食事だけではない。例えば花月の敷地は広く、丸山町、寄合町、中小島町の三町にまたがる。日本家屋の風情ある外観、美しい庭園、ゆかりの石碑など見所はたくさんある。各間や「集古館」には貴重な史料や展示品の数々が並びこれらも一見の価値がある。

花月に立つ石碑をめぐる

　花月の入口右側には向井去来の句碑が立ち、玄関では大きな花月の金文字と赤堤灯が訪れる客を迎えてくれる。玄関から入ってすぐのところに「肥前長崎丸山廓中之風景」画が掛けてあり、江戸時代の遊廓全盛期の賑わいと繁盛ぶりをうかがい知ることができる。

　玄関脇の細道を抜けて石段を上ると、視界が開け手入れの行き届いた庭園に出る。約八百坪の広さを誇る庭園は元禄時代に作られたといわれ、四季折々にその表情を変える。

　庭園右手にある稲荷神社の境内には端唄春雨の碑があり「端唄はるさめ誕生之地」と記されている。春雨は肥前小城の藩士柴田花守が作詞し、丸山の女（おかつ）が節を付けたと伝えられ、春の風情を詠んだものだ。庭園奥の裏門のそばにはぶらぶら節の歌碑が立つ。丸山の芸妓愛八が唄い広めた「ぶらぶら節」は、なかにし礼氏の直木賞小説『長崎ぶらぶら節』の題材となり、吉永小百合主演の映画にもなったのは記憶に新しい。

色鮮やかな洋間「春雨の間」

　花月の建物は日本家屋の三階建て。各間から自慢の庭園を鑑賞することができる。

　とりわけ印象に残るのは洋間「春雨の間」だ。独特のデザインのタイル貼の床。中国様

●花月二階から庭園を望む

式のデザインを取り入れた窓。花を描いた絵が鮮やかな和風天井。そこから吊下がる古いランプ。丸テーブルに木製の椅子。左手手前の棚に世界地図やランプなどの調度品が置かれ、奥には掛軸や生け花がさりげなく飾ってある。ここは西洋と中国と日本の文化が渾然一体をなす色調鮮やかな空間だ。

貴重な資料を展示する「集古館」

　食事の機会にぜひ見学してほしいのは資料展示室の「集古館」。入口には花月の建物の模型が置いてある。館内の座敷に入ると、丸山遊女を描いた画、珍しい古伊万里の丸山遊女人形、江戸町奉行の遠山の金さんの父にあたる長崎奉行・遠山左衛門尉景晋の文などが展示されている。また、木下逸雲の画、向井去来の俳句、頼山陽の書など花月を訪れた文人墨客の優美な作品が陳列されている。

　一番奥には幕末の志士として有名な坂本龍馬ゆかりの展示コーナーがあり、龍馬直筆の「坂本龍馬の要望書の下書」が展示されている。この文は当時の花月・引田屋の玄関前で起こったといわれる英国軍艦イカルス号の水夫殺傷事件について、土佐藩や海援隊を疑わ

ないでくれという内容の幕府への抗議文の下書と説明されている。

　それから忘れてならないのは『長崎ぶらぶら節』で一躍有名になった名妓愛八ゆかりの展示コーナー。愛八の写真、肖像画、愛八直筆の「うたほん」、遺品などが並ぶ。なかでも東京大角力勧進元の軍配型バッジは角力(すもう)好きだった愛八をしのぶ貴重な遺品だろう。

　こうやって見ていくと史跡料亭花月の楽しみ方は奥が深い。卓袱料理、会席料理を楽しむ老舗であり、長崎の四季を感じる空間であり、同時に花街丸山の往時の歴史を今に伝える場所でもあるのだ。

DATA
史跡料亭 花月
営業時間 12:00～15:00 / 18:00～
🚋 市電 思案橋電停下車 徒歩3分
長崎県長崎市丸山町2-1
☎ 095-822-0191
FAX 095-825-5221
URL http:// www.ryotei-kagetsu.co.jp
卓袱料理、会席料理

丸山メモリーズ
丸山本通りと寄合町

◎「丸山本通り」大正時代(『ながさき浪漫』長崎文献社より)

◎「寄合町の家並みと坂道」大正末期(『ながさき浪漫』長崎文献社より)

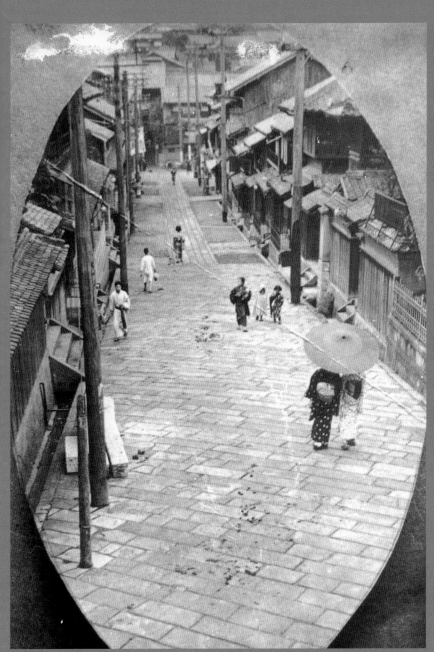

⑪「丸山本通り」(『ながさき浪漫』長崎文献社より)

地図内のラベル：
至思案橋 / 梅園身代り天満宮 / 中の茶屋 / 寄合町 / 三島屋跡 / 中小島 / 至佐古小 / 山頭温泉跡 / 玉泉神社 / 至仁田小 / 寄合町通り

●青餅
青餅は、よもぎ餅のことで緑色の餡色の
ことをいいます。いい伝えによると、江戸
時代、青餅亭の初代は密入国者（天領・
長崎の外）で、密かに丸山に入り青餅を
販売。大変な賑わいで財を成し、のちに
遊女屋をはじめたといわれています。当時
は密入国者のことを青餅と称していまし
たが、その後、青餅はそのベタベタした様子
から遊女を表す言葉となり、さらに時代が
下ると男女の親密さを表す代名詞と変
わっていきます。

●現在の寄合町

寄合町通り

最大級の規模を誇る遊女屋・筑後屋があった

江戸中期、花街丸山で最大級の規模を誇る遊郭となった筑後屋。初代の西田氏は屋号から筑後地方（福岡県西南部）出身で、当時、博多商人が多く出入りした長崎の町に、博多商人相手の遊郭をはじめたものと考えられます。次第に勢力を持ち「角の筑後屋」「中の筑後屋」「新筑後屋」「筑武筑後屋」と4軒もの店を構えるようになり、筑後屋一統は明治初年の遊郭廃止までつづきます。

また、筑後屋のうち「中の筑後屋」は中の茶屋を開いた遊郭で、花月とともに丸山を代表する茶屋となりました。

貸座敷・青餅亭跡

丸山創始の歴史を失った大火事が起こった

明治初年、筑後屋は廃業。その後、丸山町にあった貸座敷・青餅亭が移転してきます。青餅亭は登楼の客に青餅と茶を出していましたが、これがいつしか寄合町の名物となっていきます。

明治12（1879）年3月16日午前1時、貸座敷の熨斗屋と青餅亭の間で発生した火災は、寄合町東側中央付近から丸山町の全域と本石灰町の大崎神社付近までの99戸を焼き尽くす大火を起こします。

この火事で丸山にある江戸期の建物と古い文献などが焼失しました。

●左古写真「祝日の寄合町本通り」大正初期（『ながさき浪漫』長崎文献社より）

●右古絵葉書「二階からカメラを見る遊女たち」（『華の長崎』ブライアン・バークガフニ編著より）

大坂屋事件

宝暦2（1752）年2月3日の深夜、出島オランダ商館の黒人男性（使用人として来日）と江戸町の新蔵が共謀して丸山に向かいます。男性は旅人客に扮し寄合町の遊女屋・大坂屋に登楼。覆面のまま部屋に入ったため遊女は風流な人だと思い、言われた通り明かりを消して床に入ります。その後も度々登楼しますが、いつも覆面姿で明かりを消すように告げるため、遊女たちは次第に怪しく思い、4回目には感づき新蔵に連れて来ないよう告げます。

すぐに世間に知られてしまい大坂屋の主人は困り果てます。新蔵も捕えられるのを恐れ、以降、男性からの願いを断ります。

一方、遊女への想いを断ち切ることが出来ない男性は、自ら10月9日夜に寄合町の遊女屋・油屋に登楼。しかし遊女に気づかれ追い返されます。翌10日、今度は大坂屋へ登楼。大坂屋はとりあえず部屋に通し役所に通告します。しばらくして隠密方が到着。

黒人男性は捕えられ謹慎となり、二度と長崎の地を踏むことはなかったといいます。

●三島屋遺構・玄関 Ⓨ

山頭

山頭温泉は寄合町の社交場だった

丸山の入口を山ノ口とよぶのに対し、丸山の上手を山頭といいます。山頭には山頭温泉という銭湯があり、丸山が盛んなころ、山頭温泉の利用者は丸山の芸妓衆や女性たちが中心で、寄合町の社交の場でもありました。

また、山頭温泉の斜向かいには、遊郭跡の三島屋が令和2年までありました。

●山頭温泉 Ⓨ

●三島屋遺構 Ⓨ

●「中小島」昭和30年代（『長崎おもいで散歩』真木満より）三島屋の真裏にある通り

玉泉神社

夕刻時、芸妓らで賑わっていた

寛永年間（1624-1644）筑後国（現・福岡県）から宝蔵院という僧が本紙屋町（現・八幡町川沿い）にやって来ます。当時、長崎では疫病が蔓延し多くの餓死者が出ていたため宝蔵院は祈祷をはじめ、その効果があってか多くの者が救われ、宝蔵院のもとに帰依者が集まるようになります。

宝蔵院は第12代長崎奉行馬場三郎左衛門利重と京都の天台宗の許可を得、寛永20（1943）年大学院を創建します。しかし寛文11（1671）年、宝蔵院が死去した後は住職の不在も多く、所有も転々とし衰退していきます。

享保7（1722）年、福善院玉照が再興し、八幡町に移転、宝暦8（1758）年には、第5代玉泉院栄健によって寄合町にある小さな稲荷社（創建不詳）に移転します。明治維新を受け、稲荷神社となり、寄合町稲荷神社または玉泉神社とよばれるようになります。寄合町の鎮守神としてお祀りされ、花街の中ということもあって、夕刻の参詣者が多く、とくに祭事は芸妓衆などの奉納踊りで賑わいます。

しかし昭和33（1958）年の売春禁止法施行以降は一変。近年は秋の大祭の子供神輿で賑わいをみせるようになりました。

●玉泉神社 Ⓣ
境内の寄合町地蔵堂には2体の地蔵尊（石像）があります。1体は江戸時代、玉泉院にお祀りされていた地蔵尊で、唐大通事の二木金右衛門によって奉納されたものといわれています。明治維新後、廃仏毀釈によって清水寺に一旦移され、寄合町の要請で明治12,3年（1879-80）ごろに町に戻った経緯があります。

中の茶屋

長崎奉行の休憩所としても利用された

　江戸中期、寄合町に開いた遊女屋筑後屋は、次第に勢力をのばし「角の筑後屋」「中の筑後屋」「新筑後屋」「筑武筑後屋」と4軒もの店を構えるようになります。うち「中の筑後屋」は「中の茶屋」を開きます。中の茶屋があった場所は、柳屋道翠の家屋敷と田畑でしたが、享保17(1732)年、筑後屋忠兵衛が購入、敷地を塀で囲み直して、建物を改造し宴席を設けます。千代の宿／千歳窩(せんざいわ)(中国名)と命名されました。当時、中の茶屋には地元長崎のほか文人墨客、中国人などが訪れ大いに賑わい、引田屋の花月楼とともに丸山を代表する茶屋(料亭)となります。さらに長崎奉行の丸山巡検の際には休憩所にも当てられていました。

　明治期に入り筑後屋は廃業。中の茶屋も他の所有となります。昭和46(1971)年に類焼、庭園だけになります。

●中の茶屋入口 Ⓨ

中の茶屋稲荷社

手水鉢には遊女の名が記されている

　中の茶屋の庭園奥には小さな祠があり稲荷神をお祀りしています。中の茶屋の鎮守で、鳥居には「保食大神」(うけもちのおおかみ)と記され稲荷神を表しています。また、寛政2(1790)年に奉納された手水鉢には、筑後屋の抱え(所属)の遊女・冨菊(とみぎく)の銘を見ることができ、当時の人気を物語るものといえるでしょう。

　ちなみに梅園天満宮の玉垣には筑後屋抱えの里蝶の銘があります。

●手水鉢 Ⓨ

●清水崑(1912−1974)
長崎が生んだ戦後を代表する漫画家のひとり。朝日新聞に政治漫画を連載し活躍。かっぱをテーマとした作品でもよく知られ、晩年は「くんちを遊ぶかっぱ展」など長崎三部作展を開催しました。中の茶屋では多くの原画を所蔵し展示しています。

DATA
長崎市 中の茶屋 / 清水崑展示館
開館時間　9:00〜17:00
　　　　(7/20〜10/9は9:00〜19:00)
休館日　月曜日(祝日は開館)
　　　　年末年始(12/29〜1/3)
🚋 市電 思案橋電停下車 徒歩10分
入館料　大人 100円
　　　　(15人以上＝団体割引 80円)
　　　　小・中学生　50円
　　　　(15人以上＝団体割引 30円)
　　　　庭園は入場無料
☎ 095-829-1193(市文化財課)

●中の茶屋 庭園 Ⓣ

●「孫文公式訪問による歓迎会」矢印
が孫文／福屋鳳鳴館前（宮崎智雄氏所
蔵『孫文と長崎』長崎文献社より）

●孫文
中国辛亥革命の指導者。長崎の東洋日
の出新聞社長の鈴木天眼、西郷四郎
（小説『姿三四郎』のモデル）は孫文の
活動を支持します。彼らや華僑たちとの
深い交流もあり、孫文は9回も長崎を訪
れています。

福屋跡

西洋料理（ターフル料理）のさきがけ

　江戸末期、中村藤吉は小島郷梅園に料理店を構えます。安政6（1859）年には西洋料理店となり、大変な評判で連日200人近い客人が訪れるほどでした。当時、馬町の自由亭と西浜町の精洋亭とともに長崎三大洋食屋と呼ばれていました。

　福屋の建物は明治2（1869）年建立の日本家屋と明治8（1875）年建立の洋館の組み合わせで、大広間は鳳鳴館とよばれていました。大正2（1913）年、中国で辛亥革命を果たした孫文が国賓として来日（来崎）した際、この鳳鳴館で長崎市主催の歓迎会が行われます。

　福屋はその後廃業、建物は昭和54（1979）年、老朽化のため解体されます。現在では庭園の一部と石垣、階段などを残すのみとなりました。

●福屋庭園跡Ⓣ

●福屋玄関跡Ⓨ

梅園身代り天満宮

遊女らの心の支えだった丸山の鎮守神

Umetono Temple, Maruyama, Nagasaki.

●「梅園天満宮」(『華の長崎』ブライアン・バークガフニ編著より)

●梅園身代り天満宮

梅園天満宮は丸山町の鎮守神で、元禄13（1700）年に丸山町乙名・安田治右衛門によって創建されました。別名を身代り天満宮といい、当時、遊女や芸妓衆などの心の支えとなっていました。花街に隣接していることもあって芸能事などの奉納が盛んで、安永明和年間（1764-1781）には社殿の北側などで官許の芝居小屋が置かれ、芝居や手踊り、見世物、軽業、物真似、音曲などがおこなわれていました。また第二次大戦中、ここで祈願し出征した丸山町の住人はすべて身代り天満宮のおかげで無事帰還しています。

現在も身代りお守りはご利益があると有名です。今では梅の名所としても知られるようになりました。

＊本書では「梅園身代り天満宮」にならい"身代り"に表記を統一しました。

丸山町乙名・安田治右衛門

身代りになった天神さま

●なかにし礼文学碑Ⓨ
なかにし礼（1938-2020）。
作詞家・作家。平成11（1999）年、小説『長崎ぶらぶら節』で第122回直木賞受賞。長崎をはじめ丸山地区の活性化に火をつけることになり、平成15（2003）年丸山地区有志の手によって文学碑の建立となりました。碑はなかにし礼本人の直筆によるもので、本人出席のもと、除幕されました。

元禄年間（1688-1704）のある日、丸山町乙名・安田治右衛門は町年寄宅からの帰路、丸山の二重門を通り抜けたとたん、左脇腹を槍で突き抉られ重傷を負い意識を失います。加害者は梅野五郎左衛門で、以前から治右衛門の出入りを張り込み二重門の陰に隠れその時を狙っていました。五郎左衛門は治右衛門の姿を見て仕留めたと思い、自宅にもどり自決します。

一方、治右衛門は周囲に人々によって助けられますが、服が裂け血で染まっているにもかかわらず身体には一つも傷がなく、しばらくして息を吹き返します。周囲の者は喜びましたが、不思議に思いはじめます。

日頃、治右衛門は天満宮の信仰があつく、屋敷の庭に太宰府天満宮の飛梅の枝で彫刻した天神像を安置し日々信仰していていました。これは天満宮のおかげと庭の祠に詣でると、天神像の左脇に傷があって血が流れていたのです。それから天神を身代り天神と呼び、遠近からも参詣者が訪れるようになります。長崎奉行も拝礼に来たほどでした。治右衛門は再度、天神像を太宰府に運び執行坊にお祓いを受け、元禄13（1700）年、現在地を奉行よりもらい受け社殿を建てます。自ら名前を菅市之進（のち神門市之進）に変え神主となり一生を終えました。

なお、梅園天満宮の名称は長崎奉行が命名したものです。

●「梅園天満宮霊験図」(秋月藩御用絵師斎藤秋圃)

信じれば救われる？！

　梅園天満宮の狛犬は歯痛狛犬と呼ばれています。天保11（1840）年に奉納された狛犬（現存せず）は、歯痛のある者が狛犬の口の中に飴を入れ祈願すれば痛みが消えるといわれていました。現在は3代目の狛犬で、口の中に色とりどりの飴をくわえています。

　社殿横の玉垣（昔、古梅があった場所）は梅塚といい、梅干の種を納める場所です。梅は天満宮（菅原道真公）の象徴で、種を捨てることは種の中の天神様を捨てることとして、天満宮に納めることを常としていました。また、梅園天満宮は別名身代り天満宮ともいい、「身代（みがわり）」を「みだい」と読むと

天神さまの功徳のあれこれ、歯痛止めから書の上達まで。

登楼の代金を指し、とくに遊廓の女性たちは信仰があつかったそうです。今では地域の人々の信仰によって多くの梅干の種が納められるようになりました。

　社殿近くの常夜灯（江戸期のもの）の基礎石に恵美須神の顔をした石があります。恵美須石と呼ばれこの顔を拝むと心身ともにご利益があるといわれています。

　また鳥居に使われていた額には、掘られた文字をなぞると書が上達するといういわれがあります。

　さらに社殿正面の臥牛（御神牛）と自分の身体をお互いに撫でさすれば身体健全、病死全快、頭部を撫でると知恵がつくといわれています。

●歯痛狛犬　　●梅塚

●恵美須石　　●鳥居の額

●臥牛　　●お守り

高島秋帆別邸跡
日本初・西洋砲術家

高島秋帆はわが国最初の西洋砲術家として知られています。高島秋帆別邸は秋帆の父である第10代高島茂紀が文化4（1806）年に建てたものです。大村町の本邸が天保9（1838）年小川町の大火で焼失して以降、天保13（1842）年までの4年半、この別邸が秋帆の拠点となります。この場所で国防や砲術研究に励み、天保12（1841）年、江戸徳丸ヶ原での砲術演習をおこないます。

●高島秋帆（『高島秋帆』板橋区立郷土資料館より）

高島秋帆別邸跡

別名・齢松軒、2階は風流な客間

庭園に老木の松があるところから別名・齢松軒（れいしょうけん）ともよばれました。客室・桜ノ間の床の間には一面に桜花を描き金粉が施されたといいます。2階客間の窓からは清水寺や愛宕山を望め、雨の日は小島川の川音が聞こえたことから雨聲楼（うせいろう）とよばれます。また雨聲楼の西側の客間を送月楼といい、稲佐山に没する月を鑑賞した部屋といわれています。昭和20（1945）年、原爆により大破し姿を消しました。

●高島秋帆邸入口Ⓨ

●モルチール砲
（『高島秋帆』板橋区立郷土資料館より）

●砲痕石Ⓨ
砲痕石は高さ約1メートル幅約90センチメートルほどの自然石の板で大砲の標的として利用されていたものす。表面には着弾の痕跡を示す亀裂が多く残っています。当時の砲術試験は石室状のところに弾丸を発砲する方法がとられ、現在のように弾に火薬が入ってはおらず破壊が目的でした。この砲痕石は明治33（1900）年当時の所有者（料亭宝亭）が雪見灯篭に作り変え、それを見た西道仙が明治41（1908）年に砲痕石と命名したといいます。その後、雪見灯篭は解体され、今は石だけが残されています。

●東京都板橋区高島平の由来
天保12（1841）年、高島秋帆は幕命により徳丸ヶ原（現・高島平）で大規模な砲術演習を行いました。「高島平」の名は昭和44（1969）年、高島秋帆によって洋式調練がおこなわれたことにちなんでつけられました。

●雨聲楼／高島秋帆邸（長崎歴史文化博物館蔵）

小島界隈
歴史の小径

江戸時代、茂木街道は主要街道のひとつとして重要な役割をはたしました。街道は長崎半島の山の東斜面を茂木へと下ります。街道入口の小島界隈は、長崎最初の寺や古い神社がのこる歴史の小径がつづきます。

●「正覚寺」（『長崎名勝図絵』より）

茂木街道

長崎街道につぐメインストリート

玉帯橋は茂木街道の起点となる橋で現在の正覚寺下交差点に架かっていました。慶安4（1651）年第12代長崎奉行馬場三郎左衛門利重によって架橋され、茂木街道の入口の橋として利用されます。明治時代、漢学者で初の長崎市議会議長となった西道仙により命名されました。一般に橋の修繕は担当の町が行うと決まっていましたが、この橋においては会所銀が使われ、重要な要所だったことが伺えます。

玉帯橋は眼鏡橋、大手橋についで3番目に古い橋で、流失の記録がありませんでしたが、昭和10（1935）年ごろ、新道工事の際、破却され姿を消します。

●茂木街道 Ⓨ
この街道は玉帯橋を基点に小島から田上、茂木へと通じています。玉帯橋が慶安4年（1651）に架けられたことから江戸時代のはじめにはすでに使われていたことがわかります。

光寿山 正覚寺

キリスト教全盛期に、長崎最初の寺を開く

開基となる道智（1542-1640）は佐賀の牛島（武雄付近）出身で、竜造寺隆信の支族（分家）牛島家でした。文禄3（1594）年、長崎奉行寺澤志摩守に仕えます。

当時、長崎はキリシタン全盛期、道智は仏教の再興のため長崎の郊外（現在の鍛冶屋町付近）に拠点を構え布教活動に入ります。布教活動はうまくいかず、ようやく慶長9（1604）年、鍛冶屋町の敷地を拡大し西本願寺の許しを得、正覚寺が開かれます。これが長崎（旧長崎市街地）最初の寺院となります。

元和4（1618）年、正覚寺は芋原橋近くに移転、延宝4（1676）年には現在地の小島郷字尾崎へ移転します。

寛政8（1796）年、御朱印地格となり、幕府から特別の取り計らいを受けるようになります。明治維新になると、幕府の保護がなくなると末寺などが整理されました。

●正覚寺山門 Ⓨ

●陰陽石Ⓨ正覚寺境内にある

最大級! 子孫繁栄のシンボル

　陰陽石は男性と女性の象徴をデフォルメしたもので、陰石が女性で陽石が男性を表わしています。神社仏閣には決まって存在する子孫繁栄の象徴です。正覚寺のものは長崎でも最大級で、自然石を利用した立派な形をしています。

●「正覚寺の坂」昭和30年代(『長崎おもいで散歩』真木満より)

小島備前守屋敷跡（大崎神社境内）

地名の由来は将軍・足利義輝の家臣にあった

　永禄元（1558）年、中国・明の船がはじめて長崎に入港、大きな船でたくさんの貨物を積んでいたといいます。噂は遠く京の都の将軍・足利義輝公の耳にまで届き、さっそく家臣の小島備前守を長崎に送り、小島郷の尾崎に屋敷を構えさせました。長崎入りした小島備前守は大変威張り散らしたため、長崎の領主・長崎甚左衛門は腹を立て夜襲をかけ殺害します。この小島備前守は「小島」の地名の由来になったともいわれています。

矢柄町　矢柄の里

昭和30年代、水遊びの格好の場

　矢柄とは川の中洲や河口に広がる背の高い雑草です。昔は弓矢の材料として使われていました。江戸時代、思案橋付近は小島川（玉帯川）の河口で正覚寺下の玉帯橋付近までその矢柄が生い茂り、川沿いの地域はいつの頃か矢柄町または矢柄の里と呼ばれるようになりました。昭和30年代（1960ごろ）の路面電車の延伸工事が行われるまで川の流れを見ることができ、矢柄町という呼称が使われていました。

　また、思案橋バス停付近にあった大きな岩は子供たちの格好の遊び場となっていました。

丸山オランダ坂　山崎屋の坂　金剛院の坂

傾斜地の丸山は坂、坂、坂

　江戸時代、丸山オランダ坂はオランダ商館行きの遊女が出島に向かうとき、丸山の表門を通らずこの階段をくだり、当時、川（玉帯川）だった電車通りのところから小舟に乗って出島に向かっていたといわれています。山崎屋の坂は江戸中期、この坂の上に山崎屋という揚屋があり、その玄関に通じる坂ということで山崎屋の坂とよばれました。

　金剛院の坂は、金剛院如意輪寺の参道だったところから金剛院の坂とよばれています。当時、丸山は塀で囲まれていたため丸山側から金剛院の坂の方へ通り抜けることが出来ませんでした。明治に入り、現在のようになります。

　山崎屋の坂と金剛院の坂の敷石は当時のまま風頭石が使われています。

● 大崎神社 Ⓣ

　金剛院如意輪寺は寛永17（1640）年、修験者（山伏）であった良圓が、小島川沿いに稲荷神をお祀りしたことにはじまります。当時、小島川沿いには矢柄竹が多く茂り、稲荷神の遣いである狐が棲んでいたところから稲荷神をお祀りしたといわれています。寛文12（1672）年、現在地の丘の上へ移転となります。江戸時代、長崎奉行所所有の陣貝3個のうち1個を金剛院如意輪寺で預かり、重要な役割を持っていました。明治維新を受け廃仏毀釈で大崎神社となります。現在は本石灰町の鎮守神として祀られるようになります。明治24（1891）年建立の鳥居には明治の三筆と称される書の大家・中林梧竹によって額面「大崎神社」が書かれました。

● 丸山オランダ坂 Ⓨ

● 山崎屋の坂 Ⓨ

● 金剛院の坂 Ⓨ

銅座界隈
ネオン街を歴史散歩

銅座界隈は、享保9 (1724) 年、銅吹所をつくるために海を埋め立てた場所です。翌年鋳銅所が建ち、棹銅が鋳造されました。また、わが国ではじめて西洋医学教育を受けた女医・楠本イネの開業地でもあります。現在はネオン街の銅座。じつは歴史散歩も楽しめる味わい深い街なのです。

至大波止→
観光通り電停
浜町
浜町
旧西濱町
春雨通り
浜町
永見徳太郎宅跡
銅座跡の碑
銅座稲荷神社
至正覚寺
銅座町
銅座大師堂
楠本イネ
診療所開業の地
洋館跡
船大工町
銅座釜屋
銅座川
←至大浦

●銅座跡の石碑

●銅座町 (旧・東濱町／銅座跡)
寛文元 (1661) 年、輸出用の和銭を鋳る銭座が長崎村馬場郷 (現・伊勢町) に置かれ、元豊通宝 (1文銭) とよばれる銭が鋳られます。輸出増加のため寛保元 (1741) 年には休止していた築地銅座に再び火が入れられることになり、銅銭にかわって鉄銭が鋳銭することになります。市民はこのお金を銅座銭とよんでいました。実際には、寛永通宝が鋳銭され、唐人屋敷などで利用する遣方銭として製造されますが、4年後の延享2 (1745) 年に廃止となります。

銅座跡

鎖国日本の貴重な輸出品

江戸中ごろ、銅座 (座・幕府が認めた公設の機関) つまり銅吹所 (鋳銅所) があり、大坂から粗銅が持ち込まれ、ここで棹銅 (銅を棒状にした物) にして海外へ輸出していました。その後、鋳銅所にかわって鉄銭鋳造所 (貨幣を造る所) となり、貨幣・銅座銭が作られていたといいます。

鉄を溶かす溶鉱炉の釜があったところから銅座釜屋と呼ばれました。

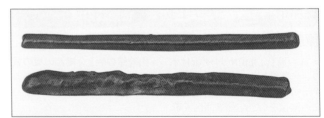

●棹銅 (長崎歴史文化博物館蔵)
棹銅は長さ約80cm、直径が約1.5cmで、重さが約1.2kg。大変純度が高かったといいます。

棹銅

銅は大坂 (堂島) から長崎銅座、そして中国へ

江戸初期、日本からの輸出は金や銀が中心でした。莫大な流出だったため、幕府は元禄10 (1697) 年、銅による支払いに変更する銅代物替を実施。銅は銅銭から直接、銅の現物を輸出するようになります。これが棹銅と呼ばれる銅の延べ棒です。銅は出羽秋田、陸奥南部、伊予別子より産出され、大坂へ送り、大坂の堂島で精錬し長崎に送られるという仕組みになっていました。一時期ですが長崎の築地銅座でも精錬されたようです。

●現在の銅座町

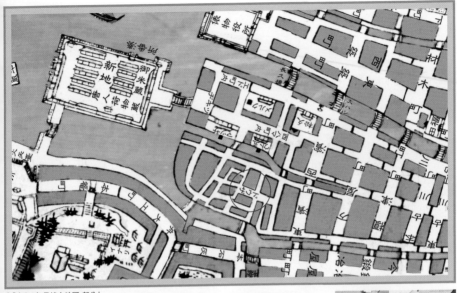
●「享和2年長崎古地図・部分」

●銅座大師堂
創建は不明ですが、銅座が築造された享保9(1724)年以降に建てられたと考えられています。木造のお堂でしたが、現在は銅座町自治会事務所内にあり、毎年、自治会によって祭典がおこなわれています。

●楠本イネ、診療所開業の地
出島オランダ商館の医師シーボルトの娘。明治3(1870)年、43歳のとき東京築地で診療所を開設。日本初の女医となります。明治10(1877)年に長崎へ戻り診療所を開業します。

●洋館跡
明治以降、長崎には擬洋風の建物(洋館)が数多く建てられるようになり、ハイカラで斬新な建物は当時の人々の目を楽しませていました。今でもこの界隈に数件の洋館を探すことが出来ます。

●銅座稲荷神社
創建は寛永18(1642)年ですが、享保9(1724)年の銅座埋立て後に、中国人の寄進によって移転したと考えられています。明治のはじめ、銅座町内で火災が起こり、お稲荷さま(おキツネさま)が社殿の上に現れ、御幣(ごへい)をお振りになり類焼を防いだといういい伝えがあります。また明治37(1904)年、日露戦争のとき、銅座町から男性23人が出征しました。留守を預かっていた町民宅に相次いでお稲荷さま(おキツネさま)があらわれ"わしは出征した町内の者の守護として、これから戦地に出向くから留守の間を頼むぞ"とお告げがあり、戦争が終わるとお告げ通りに23人の男性は無事に帰った来たと伝えられています。

永見徳太郎宅跡

大正ロマンの長崎で活躍した豪商

永見家は十八銀行(現・十八親和銀行)を創業したグループの家柄で、永見徳太郎(1891-1951)はその流れを汲む豪商の一人でした。徳太郎という名前は代々受け継がれた名前で、明治末期から昭和にかけて活躍した徳太郎がとくに有名です。倉庫業を営むかたわら長崎市議会議員やブラジル名誉領事なども務めるなど幅広く活躍し、小説など文芸にも長け夏汀という号を持っていました。芥川龍之介や竹久夢二らを長崎に招いたことでも知られています。昭和12(1937)年上京後、「長崎版画集」「南蛮屏風」「南蛮長崎草」などの小説を発表、南蛮趣味や海外交渉関係を得意としていました。

●永見徳太郎

丸山メモリーズ
銅座界隈

● 「銅座町の釜屋小路」昭和30年代(『長崎おもいで散歩』真木満より)

◎「銅座川」昭和30年代（『長崎おもいで散歩』真木満より）

◎「銅座町」昭和30年代（『長崎おもいで散歩』真木満より）

丸山メモリーズ
大徳寺界隈

◉「名物、梅ヶ枝餅」(「ながさき浪漫」長崎文献社より)

◉「長崎招魂社」(『アルバム長崎百年』長崎文献社より)

⚫「大徳寺」昭和58年(『長崎おもいで散歩2』真木雄司より)

⚫「大徳寺」昭和58年(『長崎おもいで散歩2』真木雄司より)

大徳寺跡
寺もないのに大徳寺

安政の開国後は外国人が滞在し、フランス仮領事館にもなったこの地は、幾多の変遷を経ました。

● 梅ヶ崎天満神社/菅原神社/
梅香崎神社
江戸初期、梅ヶ崎(現・十人町)に遠見番所が置かれ、側に天満宮がお祀りされます。宝永元(1704)年、当地へ大徳寺が移転すると大徳寺の鎮守神となり、現在地に移転してからは梅ヶ崎天満宮とよばれることになります。明治維新により大徳寺が廃寺となると天満宮のみとなり、現在は籠町の鎮守神としてお祀りされています。

● 大楠神社跡
明治維新になり大徳寺が廃されると、それまで大徳寺の観音堂があった場所に、明治元(1868)年12月、大楠神社が新設され、長崎裁判所総督・澤宣嘉によって王政復古を果たした楠正成を祭神とします。しかし敷地が手狭になったため明治16(1883)年、御霊を佐古招魂社へ移転。

● 大徳寺の大楠と楠稲荷神社
樹齢が約800年と推定される通称「大徳寺の大楠」は長崎市で一番大きな楠といわれています。寛文4(1664)年、修験者の寿福院祥湛(しょうたん)が八幡町に寺を建て、元禄初(1688ごろ)年、この地に移転。大楠のそばにあった稲荷神を祭神とし元禄7(1694)年、船大工町乙名・橋本治右衛門の世話で琢正院が整備されます。明治維新を受け楠稲荷神社となり、以降、船大工町の鎮守神となります。

真言宗青龍山慈眼院大徳寺跡

幕府と深いつながりのあった寺

創建は元禄年間(1688-)、伊勢町にあった大徳寺大教院を僧・月珍が譲り受けたことにはじまります。宝永元(1704)年に梅ヶ崎(現・十人町)に移転。続いて宝永5(1708)年、現在の大徳寺公園に移転します。宝永4(1707)年からは御朱印地格となり、第5代将軍綱吉の生母・桂昌院が崇敬していた十一面観音像を譲り受けるようになると、大徳寺はますます幕府の手厚い保護を受けます。江戸末期になり長崎の貿易不振による寄進の減少と幕府の衰退はそのまま大徳寺の足元を揺るがすこととなります。明治維新になり、宝物は売却、建造物も解体し建材化され、本堂を延命寺(現存せず)、鐘楼堂が三宝寺などへとわけられ大徳寺は幕を閉じます。

梅ヶ崎招魂社跡/梅ヶ崎墳墓地跡

戊辰戦争の戦病死者が祀られている

招魂社とは幕末以降、国家のために殉死した人の御霊をお祀りした神社のことで、墳墓地はその墓所になります。梅ヶ崎招魂社は明治元(1868)年に戊辰戦争などで犠牲となった本県出身者43人をお祀りした神社です。主に長崎を警護する目的で作られた遊撃隊(のちの振遠隊)の隊員でした。

明治7(1874)年、明治政府がはじめておこなった台湾への派兵で長崎からは西郷従道率いる約4500人が台湾に向かうも、現地の熱帯環境で病死者が多数発生。すぐに長崎に送還され長崎医学校に隣接する旧大徳寺庫裏に搬送されます。しかし犠牲者は500人以上に上り、彼らもこの梅ヶ崎招魂場(梅香崎墳墓地)へ埋葬されます。

● 大楠神社の鳥居　柱には「明治元年戊辰冬十一月二十五日」「長崎府地役人中」と彫られ、正面額に「大楠神社」と痕跡を見ることができます。

●大徳寺（『長崎名勝図絵』より）

●大徳寺焼餅（老舗菊水 大徳寺）Ⓨ
明治20（1887）年、大楠神社/梅ヶ崎招魂社の境内地に参拝者や隣地にある花街丸山の登楼客や芸妓衆相手の梅が枝焼餅屋が開業します。当時は長崎港などの眺望も良く、ここに訪れた小説家・永井荷風は「円型劇場（アンフィ・テアトル）」と称し、国際港ならでは人々のドラマがくり広げられていると表現します。また、「老舗菊水 大徳寺」の屋号は大楠神社にお祀りしてある楠正成（菊水紋）に由来します。

●長崎県護国神社
昭和17（1942）年、長崎県は内務省の通達により梅香崎招魂社に佐古招魂社を合祀させ長崎県護国神社を創建させます。これは殉職者の御霊をお祀りする場所で、現在では城栄町の長崎県護国神社に引き継がれています。

●大徳寺遺構Ⓨ
現在、大徳寺公園内に点在する手水鉢や灯篭、狛犬などは、江戸時代、大徳寺境内にあった梅香崎神社に付属したものばかりで、大徳寺のものといえば唐船維纜石（唐船を留める纜石）で築かれた常夜灯と御手洗盤ただ1基のみです。
※纜石（ともづないし） 維纜石（いらんせき）

●「小島養生所」（ポンペ『日本に於ける五年間』より／長崎歴史文化博物館蔵）

●長崎（小島）養生所跡資料館
（仁田佐古小学校体育館横）
開館時間　9:00～17:00
休館日　月曜（祝日の場合は開館）
　　　　年末年始（12/29～1/3）
Tel095-822-7023

佐古招魂社/佐古墳墓地

激動の時代を生きた人々が眠る

明治10（1877）年、西南戦争が勃発。長崎医学校には多くの傷病者が運び込まれるも犠牲者は増え、引き続き梅ヶ崎墳墓地に埋葬されます。しかし、その後の死者の増加で墳墓地が手狭となり梅ヶ崎招魂社の南側（稲荷嶽）に新たな墳墓地が建設され、佐古招魂社/佐古墳墓地が置かれます。明治16（1883）年、佐古招魂社/佐古墳墓地の再整備で梅ヶ崎墳墓地は合葬され現在地に整備。完成には勅祭（天皇命の祭典）が執り行われ、このとき整備した道が勅使坂となります。一方、昭和17（1942）年から佐古招魂社のみが護国神社に移され墳墓地のみとなり、昭和37（1962）年からは梅ヶ崎墳墓地と坂本墳墓地も合葬され今に至ります。

小島養生所跡／長崎（小島）養生所跡資料館

近代的なヨーロッパ式の病院と医学校

安政4（1857）年、長崎奉行所西役所内（現・県庁）に医学伝習所が開設されます。このとき教授をつとめたのが軍医ポンペです。その後、大村町に移りますが、安政5（1858）年に大流行したコレラの診療の不便さを感じ、また西洋医学を広める目的で、ポンペは松本良順や長崎奉行岡部駿河守長常に養生所建設を要請、代官高木作右衛門の協力によって、万延元（1860）年に養生所（病院）が建てられます。翌文久元（1861）年には小島郷稲荷嶽（現・仁田佐古小体育館）に純ヨーロッパ風の建物の小島養生所が開設され、その下に（現・仁田佐古小グラウンド）分析究理所が作られました。

当初、純ヨーロッパ風の建物に市民は近寄る者が少なく、外国船船員の通院の様子を見て市民も次第に診療や定期種痘を行うようになったといいます。慶応元（1865）年、長崎奉行部長門守常純は小島養生所を精得館と改称し明治維新を迎えます。養生所と医学校には日本とオランダの国旗が並んで翻っていました。

丸山芸妓衆
粋なプロ、粋な遊び

いつの時代も長崎のお座敷や、くんちを盛りあげ、支えてきた芸妓衆。現在も花街を華やかに彩ります。

●名妓・愛八①
愛八（1874-1933）は大正から昭和初期に活躍した丸山の芸妓です。昭和5（1930）年、ビクターレコードから発売した「ぶらぶら節」と「浜節」は空前の大ヒットとなりました。

●きれいどころ
一般に芸者衆のことを芸妓衆などといいますが、長崎では「げいこし」または「げいこしさん」とよびました。以前は、幇間つまり太鼓持ちも活躍していました。

古賀十二郎

長崎学のいしずえを築いた市井の学者

古賀十二郎（1879-1954）は長崎市五島町の黒田藩御用達の商家・萬屋に生まれ、十二郎が12代目で明治12年生まれということもあって十二郎と命名されました。長崎市立商業学校から東京外国語学校へ進み、その後、広島で3年間英語教師となります。その後、帰崎し長崎の歴史発展のために尽力し長崎史談会を創設します。大正8（1919）年からは長崎市史編さんの参与・編纂主任に任命され指揮にあたります。明治45（1912）年には長崎県立図書館創設に奔走し、とくに洋書収集でオランダとの交渉役となり、その功績から大正9（1920）年、オラ

ンダ・ナツソウ勲章が贈られました。生涯にわたって長崎における多くの書物や資料を世に送り、いわゆる「長崎学」の基礎を築きます。

直木賞を受賞した、なかにし礼著小説『長崎ぶらぶら節』は古賀十二郎を題材にした作品で、小説は映画やテレビドラマ化され大ヒットとなりました。長崎学の基礎を築いた市井の学者は今、本蓮寺後山に眠っています。

●古賀十二郎

長崎検番

芸妓を手配し統括、愛八も所属していた

芸妓衆は江戸中期の天明元（1781）年ごろ、大坂から長崎に入ってきたといわれています。しかし遊女は芸妓的な役割も持っていたので、遊女から不評を買い後に禁止となります。

一方、芸妓という概念が入ると長崎でも芸妓が自然発生し色と芸の区別化が進みます。遊女たちの歌舞音曲は自然と衰退し、明治5（1872）年、遊女解放令で新たな公娼制度がはじまると、料亭の台頭で芸妓を中心とした花街文化が花開きはじめます。

丸山検番（後の南検番）と長崎町検番とが誕生し、ここに「山芸妓」「町芸妓」が生まれます。明治42（1909）年、新たに丸山南検番が創立。最盛期の昭和初期、

丸山には東、南、南廓の3軒の検番、本紙屋町に長崎町検番、稲佐検番、出雲町検番、戸町検番が作られ数百人の芸妓が在籍しました。

第二次大戦を終え花街が衰退し、ついに丸山南検番と長崎町検番の2軒のみとなりますが、昭和24（1949）年に合併し長崎芸能会となります。この時期の芸妓数は約100人。昭和33（1958）年売春禁止法の成立で花街に勢いがなくなりますが、料亭などは昭和40（1965〜）年代の高度成長期、炭鉱の好景気を受け潤います。

昭和52（1977）年、長崎検番と改称。近年は新人が増え、花街に明るい兆しが出てきました。常に15〜20人が在籍しています。

●長崎検番／妓楼・松月楼跡

●送り三味線
送り三味線は料亭などで客人をお送りするときの一つの趣向です。基本的にはお祝い事の席の後に行われます。鳴り物の芸妓衆と盃にお酒を注ぐ芸妓衆とにわかれ、客人一人一人に一献差し上げ、お見送りするものです。

43

丸山芸妓衆

●「長崎検番 平成19年度初弾き」(富貴楼提供)　前列左より音羽、染葉、梅奴、勝丸、梅喜久、美代子、中列左より桃鶴、玉羽、葉づき、梅千代、花音、こ丸、後列左より三勇、勝喜久、桃勇、千代子、八重子

●丸山町の傘鉾
他町にくらべデザインがシンプルで、くんち
の初期のころの姿をとどめています。

●二重門（『長崎名勝図絵』より）
丸山の入口二重門は狭い門で、丸山
町、寄合町の傘鉾は横へ斜めに倒しな
がら通らなければならず、他町の傘鉾より小
型につくられていました。反対に他町の
傘鉾は二重門があるため丸山の中に入
ることが出来ませんでした。明治5
（1872）年、遊女屋が廃止された後、二
重門は撤去されます。

丸山芸妓と長崎くんち

長崎くんちをにぎやかにした丸山芸妓

　寛永11（1634）9月の諏訪神社の祭事に丸山遊女の高尾と音羽が小舞を奉納します。これがくんちのはじまりとなりました。遊女による小舞の奉納はいつしか16歳以下の禿のなかから容姿や芸に優れたものを選び出すようになります。小屋入り（6月1日）に源氏名をつけ太夫とし祭事に踊りを奉納します。大役をつとめた後、遊女となるという形態でした。

　江戸中期、小舞の遊女の数は10人ほどになり、神輿行列などに美しく着飾った丸山遊女がお供をし、くんちは大変華やかなものになっていきます。

　明治元（1868）年、諏訪神社祭事の改革で奉納踊りが差し止めになる際（のち復活）も、丸山町と寄合町の踊りはつづけられますが、明治5（1872）年、遊女屋の廃止で小舞が姿を消します。毎年奉納だった丸山町と寄合町は隔年となり1町ずつの出場となって、遊女（太夫）のかわりに芸妓が奉納踊りをつとめるようになります。

●「諏訪神事踊行列之図」（『長崎古今集覧名勝図絵』より）

長崎くんち

はじまりは遊女の奉納踊り

　江戸のはじめ、長崎の住民はほとんどがキリシタンで社寺への信仰者は一人もいませんでした。慶長19（1614）年の禁教令でようやく再興のきざしがでて、諏訪神社は寛永2（1625）年に再興されます。しかし参詣者の姿はほとんどなく、唯一の保護者といえば、当時すでに長崎入りしていた博多商人たちでした。寛永11（1634）年、諏訪神社の神事が行われることになり博多商人である遊女屋の主人は、遊女の高尾と音羽に舞を奉納させます（※ここでいう遊女とは白拍子、今でいうところの舞妓や芸妓のことを意味します）。これがくんちのはじまりで、江戸中期になると市内全町の祭となり大変華やかなものになっていきます。その高尾と音羽が所属していたところが太夫町、現在の丸山町といわれています。

●「諏訪神事之図」（『長崎古今集覧名勝図絵』より）

●「丸山町の奉納踊」(『ふるさとの想い出写真集－明治 大正 昭和 長崎』越中哲也／白石和男編著より)

●丸山町の奉納踊／2006年①

復活した丸山町

41年ぶりに
よみがえった奉納踊り

　くんちの創始に関係の深い丸山町と寄合町でしたが、花街の衰退とともに昭和37(1962)年に寄合町が、昭和40(1965)年に丸山町が最後の踊り奉納となり諏訪神社の踊り場から姿を消します。しかし、丸山町と寄合町を露払い、他町を御供町といっていたように両町の存在は他町のそれとは全く違った存在で、丸山町や寄合町の出場しないくんちはくんちではないともささやかれました。
　平成10(1998)年発表の小説

『長崎ぶらぶら節』は丸山を再び全国区とさせ、再興の機運をつかむにいたります。平成18(2006)年、41年ぶりに奉納踊をよみがえらせ、平成25(2013)年復活2回目の奉納も若手新人を中心に長崎検番の存在感を広くアピールしました。

●丸山町の傘鉾／2006年①

丸山メモリーズ
呈上札と花御礼札

呈上札は、長崎くんちで、ごひいき筋などに踊りを披露する際に渡される縁起物の札です。
また、御花（ご祝儀）をいただいたところへお礼の印として渡される札を御花礼札といいます

◉踊呈上札／平成25（2013）年

◉花御礼札／平成25（2013）年